MARIAN HOEFNAGEL

Met alle geweld

Uitgeverij Eenvoudig Communiceren / Lezen voor Iedereen
www.eenvoudigcommuniceren.nl
www.lezenvooriedereen.be

Kijk voor meer informatie over het thema van *Met alle geweld* op
www.zinloosgeweld.nl of www.zinloosgeweld.net.

Bij *Met alle geweld* is een gratis docentenhandleiding verkrijgbaar.
Deze kunt u downloaden van www.eenvoudigcommuniceren.nl
en www.lezenvooriedereen.be.

Tekst: Marian Hoefnagel
Redactie en opmaak: Eenvoudig Communiceren
Illustraties: Heerko Tieleman
Druk: Easy-to-Read Publications

ISBN/EAN 978 90 8696 019 4
NUR 286

Dit boek heeft het keurmerk Makkelijk Lezen.

Stoer

Yung loopt de school uit.
Zijn rugtas hangt over zijn rechterschouder.
Zo ziet hij er stoer uit.
Yung draagt zijn rugtas nooit op zijn rug.
Dat doen alleen kinderen van de brugklas.
En Yung zit allang niet meer in de brugklas.
Gelukkig niet.

Vanuit zijn ooghoeken ziet hij dat Marije eraan
komt.
Hij probeert nog stoerder te lopen.
En een beetje onverschillig.
Maar hij weet niet precies hoe dat moet.
Grote stappen? Ja, dat is vast goed.
Zo lopen soldaten in films ook altijd.

Yung ziet zichzelf in het glas van het bushokje.
Die tas over één schouder is prima.
Maar die grote stappen zien er eigenlijk wel gek uit.
Hij hoopt maar dat Marije hem niet gezien heeft.

Hij gaat in het bushokje staan.

De bus komt pas over tien minuten, dat weet hij.
Maar tien minuten wachten is niet erg.
Kan hij lekker even een sigaretje roken.
En naar alle meisjes kijken die de school
uitkomen.

Yung steekt een sigaret aan en neemt een flinke
trek.
Vroeger moest hij altijd hoesten als hij dat deed.
Maar inmiddels is hij het gewend. Stoer.

Er komen nog een paar jongens in het bushokje
staan.
Ze hebben allemaal een petje op, met de klep
naar achteren.
Yung kent ze niet.
Maar het zijn vast jongens van zijn school.
Yung zit nog maar een paar weken op deze
school.
Hij kent nog lang niet alle leerlingen.

Stel je voor: alleen maar jongens

'Dag Yung, tot morgen', roept Marije.
Ze fietst langs het bushokje en zwaait naar hem.
Yung kijkt haar verbaasd aan.
Hij heeft haar helemaal niet zien aankomen.
Gauw steekt hij zijn hand op.
'Hoi', zegt hij.
Hij kijkt haar helemaal na.
Totdat ze de hoek om gaat.

'Zooo', zegt één van de jongens in het bushokje.
Hij kijkt Yung brutaal aan.
'Valt Marije tegenwoordig op Chinezen?'
De andere jongens moeten lachen.
'Ja, die heeft ze nog niet gehad', antwoordt
iemand anders.
En weer lachen ze allemaal.
Gelukkig stopt de bus voor het bushokje.
De jongens stappen lachend in.
En Yung hoeft niets terug te zeggen.

Yung gaat vlak achter de chauffeur zitten.
Hij weet dat de jongens altijd achterin gaan zitten.

Met z'n allen op de achterbank.
'Zo', zegt de chauffeur tegen Yung.
'Was het een beetje uit te houden op school?'
Yung haalt zijn schouders op.
'Ach', zegt hij. 'Het viel wel mee.
Maar het blijft natuurlijk school.'

De chauffeur knikt.
'Ik had er ook altijd een hekel aan', zegt hij.
'Alleen de pauzes vond ik leuk. En gym. En de schoolfeesten.
Ik vond school eigenlijk alleen maar leuk vanwege de meisjes.'
Yung schiet in de lach.
'Ik ben blij dat ik nooit op een jongensschool heb gezeten', vertelt de man verder.
'Stel je voor, de hele dag mannen om je heen.
Ik moet er niet aan denken.'
Yung denkt er even over na.
'Nee', zegt hij dan. 'Dat lijkt mij ook niks.'

Sun-Wing

Yung doet de deur van het restaurant open.
Sun-Wing staat er op de deur.
Dat klinkt Chinees, maar het is Engels.
Zonne-Vleugel, zo heet het restaurant.
Het restaurant van Yungs ouders.

Yung loopt een smal gangetje door.
Aan het eind van het gangetje is de bar.
Daar staat altijd iemand achter.
Soms zijn moeder, soms één van zijn zusjes.
Zijn vader staat nooit achter de bar.
Zijn vader staat altijd in de keuken.
Yungs vader is kok en best een goede kok ook.

'Dag zoon', zegt Yungs moeder in het Chinees.
'Ging het goed op school?'
Yung knikt. 'Dag moeder', zegt hij beleefd.
'Ja het ging wel.'
Yung praat niet in het Chinees terug, maar in
het Nederlands.
'Ik heb boven eten voor je neergezet', zegt Yungs
moeder.

'Lekker', vindt Yung.

Hij loopt langs de bar, naar de trap.
De trap kraakt als hij naar boven loopt.
Het is een oude trap; het is ook een oud huis.
Maar het is wel een fijn huis.
De kamers zijn groot en hoog.
De twee keukens zijn enorm: de keuken van het
restaurant beneden én de keuken boven.

Yungs eten staat op een rond zwart dienblad.
Er staan vier van die dienbladen op de keukentafel.
Op ieder dienblad staat een kom rijst, een kom
soep en een kommetje thee.
Yung zet een dienblad in de magnetron.
Na een paar minuten is het eten warm.

Misschien kan ik wel buiten eten, denkt Yung.
Hij pakt zijn dienblad en loopt door de
keukendeur naar buiten.
Dan staat hij op het platte dak van de schuur.
Eigenlijk is het nog te fris, maar Yung besluit
toch buiten te blijven. Hij draait een leeg
bierkratje om en gaat erop zitten.

De enige jongen

Met veel geklets komen even later Yungs zusjes
de keuken in.
Ka-wai, Ka-lai en Ka-mai.
Ze zijn alledrie ouder dan Yung. En knapper dan
Yung. En ze werken harder dan Yung.

Yungs zusjes zitten op het vwo, in de vierde,
de vijfde en de zesde klas.
's Avonds werken ze in het restaurant.
Op zaterdag gaan ze naar de Chinese school.
Op zondag doen ze hun huiswerk.
Yung zit in de derde klas van het vmbo.
Hij hoeft niet in het restaurant te werken.
Hij hoeft niet naar de Chinese school.
En huiswerk maakt hij ook liever niet.

'Dag broertje', tetteren de zusjes in het Chinees.
'Dag zusjes', bromt Yung in het Nederlands.
Ze komen met hun dienbladen ook het platte dak
op. Maar al gauw vinden ze het te koud.
'Kom mee naar binnen', roepen ze alledrie.
'Je vat hier nog kou, klein broertje.'

Yung zucht.
Het valt niet mee om de jongste te zijn.
Vooral niet als je de jongste jongen bent in een meidengezin.
En helemaal niet in een Chinees meiden-gezin.

Yungs ouders waren heel erg blij toen Yung geboren werd.
Eindelijk een jongen, na drie meisjes!
Eindelijk voelde Yungs vader zich een echte man.
Want een echte man heeft een zoon.
En Yungs moeder voelde zich een echte vrouw.

Ook de zusjes waren blij met hun broertje.
Yung was zo lief, zo schattig, zo leuk.
En dus werd de kleine Yung verschrikkelijk verwend.

Later viel Yung een beetje tegen.
Hij kon niet zo goed leren als zijn zusjes.
En hij was ook niet zo lief als zijn zusjes.
Yung was dan wel een jongen, maar eigenlijk niet zo'n geweldige jongen.
Vonden de ouders van Yung.

Marije

Yung zit op zijn kamer.
Het is maar een klein kamertje.
Maar de kamer is wel van hem alleen.
Zijn zusjes hebben een grotere kamer.
Maar die moeten ze met z'n drieën delen.
Dat vinden ze trouwens helemaal niet erg.
Yungs zusjes vinden het heerlijk om altijd samen
te zijn.

Yung kijkt uit het raam.
Aan de overkant van de straat is een videotheek.
Daar staat altijd een groepje jongens met
scooters.
Ze zeggen vaak iets tegen de meisjes die er naar
binnen gaan.
Meestal moeten die meisjes erom lachen.
Soms wordt er eentje boos. Maar dat gebeurt niet
vaak.

Yung vindt het leuk om te kijken.
Vooral naar de meisjes natuurlijk.
Maar geen één meisje is zoals Marije.

Dat heeft hij allang gezien.

Marije ....

Ze is echt het mooiste meisje van de wereld.

Ze heeft heel dik, lang, roodbruin haar.

Ze heeft grote grijze ogen. Aardige ogen.

En de mooiste huidskleur die Yung ooit gezien
heeft.

De kleur van room.

Verder is ze eigenlijk heel gewoon.

Niet groot en niet klein.

Niet dik en niet dun.

Maar haar kleding, die is niet gewoon.

Ze draagt altijd jurken.

Lange, rommelige jurken.

Met een bruin jasje van leer erover.

En met hoge bruine schoenen eronder.

Ze ziet er altijd heel apart uit.

Veel leuker dan zijn zusjes.

Die zien er zo duf uit.

Vooral als ze moeten helpen in het restaurant.

Een witte bloes, een zwarte rok.

Saai.

Meester Daan

'Ja, ga maar naar binnen.'
Meester Daan, de leraar informatica, brult het
door de gang.
Hij is een grote man, met een kaal hoofd en een
harde stem.
Hij ziet er superstoer uit, met grote motorlaarzen
aan zijn voeten.
Yung is een beetje bang voor hem.
Hij komt meester Daan niet graag tegen op de
gang. En hij heeft ook niet graag les van hem.

'Ja, Yung, ik heb het tegen jou', schreeuwt
meester Daan.
Yung kijkt even opzij, naar Marije.
Die lacht naar hem.
'Gewoon de deur opendoen', zegt ze.
Yung doet de deur van het computerlokaal open.
'Zie je wel dat je het kunt', zegt meester Daan.
Yung weet niet wat hij van zo'n opmerking moet
denken.
Neemt meester Daan hem nou in de maling of
niet?

Hij ziet de andere leerlingen lachen.
Yung voelt zich heel onzeker worden.

'Zoek op waar je de vorige keer gebleven bent',
zegt meester Daan.
'Dat moet ergens in hoofdstuk 5 zijn.
Dat hoofdstuk moet vandaag af.'
Yung kijkt gauw waar hij de vorige les is gebleven.
Hoofdstuk 5 is al af!

'Ik ben al klaar, meester', zegt hij.
'Als je klaar bent, mag je iets voor jezelf doen.
Een grafiek maken, of zo', zegt meester Daan.
Yung kijkt hem verbaasd aan.
Hij wil net vragen wat voor grafiek hij moet
maken.
Maar dan vraagt Marije: 'Mogen we ook msn'en?'
'Ja, als je dat leuker vindt dan een grafiek
maken', zegt meester Daan ernstig.
Maar Marije knipoogt naar Yung.

Gauw start Yung msn op.
Hij ziet dat Marije dat ook doet.
Even later zijn ze allebei online.

Wat zal hij tegen Marije zeggen?
Dat hij haar het mooiste meisje van de wereld
vindt?
Dat hij best wel eens een keer met haar wil
stappen?
Maar dan staat er al een berichtje van Marije op
zijn beeldscherm.

Msn'en met Marije

Hij ziet er wel heel dreigend uit, schrijft Marije.
Maar eigenlijk is het een heel aardige man.
Je moet gewoon even aan hem wennen :-)

Ze heeft er niet bijgeschreven over wie het gaat.
Maar Yung begrijpt het meteen. Meester Daan
natuurlijk.
Hij moet even lachen om het :-).

Jij hebt makkelijk praten, schrijft Yung terug.
Tegen meisjes is hij wel aardig.
Maar tegen mij maakt hij van die rare opmerkingen.
Ik weet nooit wat hij er precies mee bedoelt.
Misschien doet hij dat omdat ik Chinees ben.

Welnee, schrijft Marije weer.
Hij discrimineert niet. Nooit.
Hij is tegen iedereen hetzelfde.
Hij is een echte Amsterdammer, net als ik.
En Amsterdammers plagen graag.
Dat vinden we leuk.
We bemoeien ons ook overal mee.

Dat vinden we ook leuk. :-P

:-P?, denkt Yung. Wat zou ze daarmee bedoelen?
Hij durft het niet te vragen; dat staat stom.
Hij rijdt toch op zo'n grote motor?, vraagt hij.

Ja, en?, antwoordt Marije.

Nou, zit hij niet bij een of andere club?
Zo'n enge club?, wil Yung weten.

Niet iedereen op een motor is een Hells Angel,
schrijft Marije.
En niet iedere Chinees is een stomme pinda.
Maar ik begin aan jou te twijfelen. :-||

:-|| kent Yung. Dat betekent dat Marije een beetje
kwaad is.
Sorry, schrijft Yung. Kan ik het goedmaken?

Maar dan is de les voorbij.
Yung krijgt geen antwoord meer.

Het bushokje

Yung zou graag nog met Marije verder praten.
Over meester Daan en over andere dingen.
Maar hij krijgt haar de hele dag niet meer te
spreken.
Hij ziet haar ook niet na schooltijd, als hij bij de
bushalte staat.
Hij ziet wel weer de jongens met die omgekeerde
petjes.
En wat erger is, ze zien hem ook!

'Ha, daar hebben we die pinda', roept één van de
jongens.
'De pinda van Marije.'
Yung doet net alsof hij niets hoort.
Dat lijkt hem het beste.
Hij kijkt in de verte. Hij hoopt maar dat de bus er
gauw aankomt. Maar die is nog nergens te zien.

De jongens zijn intussen bij het bushokje
aangekomen.
'Wanneer zou hij Marije plat hebben?', vraagt er
één.

'Nou, Marije kennende ...', zegt een tweede,
'zal dat niet lang duren.
Ik denk een maand, hooguit zes weken.'
De eerste jongen knikt.
'Ja en over twee maanden dumpt ze hem weer',
zegt hij.
'Want zo'n spleetoog is natuurlijk niks.'

Yung voelt de woede in zijn lijf omhoog komen.
Het liefst zou hij de jongen een stomp op zijn
neus geven.
Maar hij weet zich te beheersen.
Hij heeft ook geen kans om te winnen, dat
begrijpt hij wel.
Hij is alleen en zij zijn met z'n vieren.
Hij staart opnieuw in de verte, in de richting van
de bus.
Die er nog steeds niet aankomt.

'Weet je wat Chinezen goed kunnen?', vraagt de
eerste jongen weer.
De andere drie kijken hem grijnzend aan.
'Nou?', zeggen ze. 'Wat?'
'Doen alsof ze niks horen', lacht de eerste jongen.

'Ze kunnen hun gevoel heel goed verbergen. Die pinda is natuurlijk *pissed*, maar je ziet niks aan hem.'

De anderen moeten weer lachen.

En dan, goddank, komt de bus er aan.

Meisjes met ijsjes

'Ik ga morgen op de fiets naar school', zegt Yung
tegen zijn moeder. Zij knikt.
'Als je maar uitkijkt in dat drukke verkeer', zegt ze.
'Ja natuurlijk', antwoordt Yung een beetje kwaad.
'Waarom zou ik niet kunnen uitkijken en die
drie meiden wel?
Zij gaan altijd met de fiets.'
'Zij zijn met elkaar', vindt Yungs moeder.
'Zij kijken uit met zes ogen in plaats van twee.'
Yung haalt zijn schouders op.
Zijn moeder weet altijd iets terug te zeggen.
Ze kent altijd wel één of ander Chinees
spreekwoord.

Tien minuten later zit hij met zijn eten voor het
raam.
Buiten op het platte dak is het te koud.
Maar zo voor het raam is het ook leuk.
Langzaam eet hij zijn rijst.
Hij kijkt naar de videotheek aan de overkant.
Er staan weer een paar jongens voor de deur.
Ze laten hun scooters hard brommen.

Twee meisjes lopen langs.
Ze gaan de videotheek in.
Even later komen ze weer naar buiten, met een
ijsje.

De jongens lachen en zeggen iets tegen hen.
Maar de meisjes reageren niet.
Ze lopen door, likkend aan hun ijsjes.
Goed zo, denkt Yung.
Maar de jongens met de scooters denken er
anders over.
Ze zijn boos. Omdat de meisjes net doen alsof ze
niet bestaan. En daar kunnen ze niet tegen.

Ze rijden met hun scooter vlak langs de meisjes.
Die doen nog steeds alsof ze de jongens niet zien.
Maar dan geeft één van hen de meisjes een duwtje.
Het is maar een klein duwtje.
Maar de meisjes vallen tegen elkaar aan.
En hun ijsjes vallen op de grond.
De meisjes kijken kwaad naar de jongen.
Ze roepen ook iets tegen hem.
Yung kan niet horen wat ze roepen.
Maar het zal wel iets zijn als: klootzak.

Fietsen

Het is een heel eind fietsen naar Yungs school.
En Yung houdt niet van fietsen.
Maar het is beter dan straks weer bij dat
bushokje staan.
En de opmerkingen van die jongens aan te horen.

Wat Yung nog het ergste vindt van fietsen, is
opletten in het verkeer.
Als je in de bus zit, kun je lekker nadenken.
Of een beetje dromen.
Maar als je fietst kan dat niet.
Dan moet je de hele tijd om je heen kijken.
En je moet de hele tijd nadenken over de
verkeersregels.
Yung kent de verkeersregels wel.
Maar hij is het niet gewend om er steeds aan te
moeten denken.
Af en toe vergeet hij zijn hand uit te steken.
Af en toe vergeet hij achterom te kijken.

Plotseling klinkt er hard getoeter achter hem.
Yung schrikt zich rot en stapt af.

Een enorme bus dendert voorbij.
De chauffeur van de bus wijst op zijn voorhoofd.
Ja, Yung begrijpt wel waarom.
Hij fietste niet dicht genoeg langs de stoep.
De bus kon hem niet passeren.
Omdat aan de andere kant van de straat auto's
geparkeerd staan.

Als Yung zijn fiets in het fietsenhok zet, komen
de jongens er aan.
Hun petjes staan weer omgekeerd op hun hoofd.
O nee, denkt Yung.
Zij zaten natuurlijk in die bus.
Zij hebben gezien hoe stom ik deed. En ja hoor.
'Spleetogen kunnen niet fietsen', zegt de één.
'Nee', zegt de tweede. 'Zij kunnen eigenlijk niks.
Ze zijn net zo stom als honden.
Ze zouden eigenlijk een halsband om moeten
hebben.'
Hard lachend lopen de jongens de school in.

'Hé Yung', klinkt het achter hem.
Marije tikt op zijn schouder.
'Ben je ook op de fiets?'

Ik vind je aardig

Samen lopen ze de school in, Yung en Marije.
Yung zou het liefst iets aardigs zeggen tegen
Marije.
Maar hij is te kwaad om iets te bedenken.
'Wat is er?', vraagt Marije.
Yung haalt zijn schouders op.
'Niks', zegt hij.
Want vertellen dat je gepest wordt, is niet cool.

'Vind je me niet aardig?', vraagt Marije.
'Ik dacht dat je me wel leuk vond.
Maar je doet nu zo stug.'
Yung kijkt haar verrast aan.
'Ik vind je heel aardig', zegt hij gauw.
'Ik vind je het aardigste meisje dat ik ken.
Maar wat moet jij nou met mij?'

Marije kijkt verbaasd.
'Wat bedoel je?', vraagt ze.
'Nou, je vindt me vast ook een spleetoog. En een
stomme pinda.
Net als dat stelletje mongolen in de bus.'

Marije schiet in de lach.

'Je moet je niks aantrekken van schelden', vindt ze.

'De meeste jongens schelden op anderen.

Dat vinden ze stoer tegenover hun vrienden.'

'Ik vind het klootzakken', briest Yung ineens.

Marije schrikt ervan.

'Joh, kalm', zegt ze.

'Ze zeggen echt teringdingen', zegt Yung.

'Ook over jou.'

'O?', zegt Marije. 'Wat dan?'

Maar Yung schudt zijn hoofd.

'Dat wil je niet weten', zegt hij.

Dan gaat de bel.

Yung en Marije hollen samen door de gang.

Hijgend komen ze de klas binnen.

'Jullie zijn te laat', zegt meester Daan.

'Maar voor deze ene keer laat ik jullie erin.'

'Zie je wel dat hij meevalt?', fluistert Marije.

Geen aardige dingen

Marije en Yung msn'en weer met elkaar.

Wat zeggen ze nou over me? :-(, vraagt Marije.

Geen aardige dingen, schrijft Yung terug.

Zeg het nou, zeurt Marije.
Ik kom het toch wel te weten.
Je kent me nog niet goed genoeg.
Maar als ik echt iets wil, dan lukt me dat altijd!

Yung denkt even na.
Dan neemt hij een besluit.
Het zijn echt klootzakken, Marije, schrijft hij.
Ze zeggen dingen die niet waar zijn.
Dat jij de hoer van de school bent.
Dat je het nog nooit met een Chinees hebt gedaan.
En dat je daarom op mij valt.
Dat soort dingen.

Het duurt een hele tijd voordat Yung antwoord krijgt.

Hij kijkt even naar Marije.
Misschien zit ze wel te huilen, denkt hij.
Hij heeft er al spijt van dat hij het gezegd heeft.

Maar Marije zit helemaal niet te huilen.
Ze zit met een vriendin te kletsen.
Ze laat zien wat er op haar beeldscherm staat.
Yung begrijpt er niets van.
Dat zijn toch geen dingen die je aan anderen laat
lezen?

Maak je er niet druk om, staat er ineens op Yungs
beeldscherm.
Ze zijn gewoon jaloers.
Ik vind het eikels. En dat weten ze wel.
Daarom zeggen ze dat ik een hoer ben.
Daarom noemen ze jou spleetoog en pinda.
Als je iemand uitscheldt, voel je jezelf beter, denken ze.
Als je iemand naar beneden trapt, voel je jezelf
sterker worden.

Niets laten zien, of wel?

Yung denkt lang na over wat Marije ge-msn'd
heeft.
Het voelt goed om iemand uit te schelden.
Het voelt extra goed om dat samen te doen met
anderen.
Hij begrijpt het niet.
Hij heeft geleerd dat je niet mag schelden.
Zijn vader en moeder zijn daar heel streng in.
Hij moet altijd beleefd zijn en vriendelijk.
Tegen iedereen.

Yung heeft ook geleerd dat je je gevoel beter niet
kunt tonen.
Blij, kwaad, verdrietig, trots ...
Aan zijn vader en moeder is niet te zien hoe ze
zich voelen.
Thuis soms wel. Maar nooit als er anderen bij zijn.
En met zijn zusjes is het precies hetzelfde.
Met elkaar bespreken ze alles.
Met elkaar kunnen ze lachen, huilen, boos zijn.
Maar buiten hun kamer, zie je niks aan hun
gezicht.

Dan zijn ze vriendelijk en beleefd.
Ook als ze net ruzie met elkaar hebben gehad.

Misschien moet ik minder Chinees worden,
denkt Yung.
Misschien moet ik doen wat iedereen doet:
zeggen wat je denkt.
Als je kwaad bent, schelden.
Als je blij bent, hard lachen en op en neer
springen.
Als je verdrietig bent, huilen. Ook als er anderen
bij zijn.
Marije doet dat ook.
Marije verbergt haar gevoel nooit.
En Marije is hartstikke tof.
Ja, misschien moet ik dat maar doen: minder
Chinees worden.

Samen fietsen

'Zullen we samen naar huis fietsen?', vraagt
Yung.
Marije kijkt hem verbaasd aan.
'Woon je dan bij mij in de buurt?', vraagt ze.
'Ik dacht dat je helemaal in Oost woonde.'
Yung knikt. 'Ja, daar woon ik ook', zegt hij.
Bij zichzelf denkt hij: Dat was stom.
Ik had het anders moeten vragen.
'Maar ik kan je toch naar huis brengen', probeert
hij nog.
Marije lacht. 'Ja, dat kan', zegt ze.
'Maar het is een heel eind hoor, van mijn huis
naar Oost.'
Yung haalt zijn schouders op.
'Geeft niet', zegt hij.

Marije stapt vlot op haar fiets.
Yung stapt ook op, een beetje onhandig.
Zijn fiets slingert bijna tegen die van Marije aan.
'Mooie fiets heb jij', zegt hij tegen Marije.
'Die van mij is al zo oud.
Hij wiebelt en kraakt aan alle kanten.'

Marije schiet in de lach.

Ze begrijpt het wel.

Yung wil zijn fiets de schuld geven van zijn eigen onhandigheid.

'Ik heb deze fiets gekregen toen ik naar de middelbare school ging', zegt ze.

'Daarvoor had ik zo'n kleinemeisjesfiets.

Hij was roze, met een rood mandje voorop.

Dat mandje was voor mijn pop.

Maar ik zette onze poes er altijd in.'

Yung grinnikt even.

'Vond die poes dat goed?', vraagt hij.

'Het was een schat van een poes', antwoordt Marije.

'Ik kon alles met haar doen.

Soms zette ik een babymutsje op haar kop.

En trok ik haar een poppenjasje aan.

Van mij accepteerde ze dat wel.

Maar tegen anderen was ze vaak heel fel.

Het was echt mijn poes.'

Marije staart even in de verte.

'Ze is vorig jaar doodgegaan', zegt ze dan.

Toch niet gedurfd

Yung fietst naar huis.
Het is inderdaad een heel eind van Marijes huis
naar het restaurant.
Maar Yung vindt het niet erg.
Hij heeft leuk met Marije gekletst onderweg.
En hij weet nu waar ze woont.
In een flat. Een hoge flat, met tien verdiepingen.
Marije woont op de achtste.
Ze heeft het hem aangewezen.
'Dat raam op de hoek, dat is mijn kamer', zei ze.
'Als ik thuis ben, is het lampje aan.'
'Welk lampje?', had Yung gevraagd. 'Ik zie geen
lampje.'
'Ik ben nu ook niet thuis', had Marije lachend
geantwoord.
'Maar als je even wacht, tot ik boven ben ...'

Ze was met haar fiets weggehold.
En een paar minuten later ging er een lampje
aan voor Marijes raam.
Een klein blauw lampje.
Marije stond boven het lampje te zwaaien.

Yung had zijn duim opgestoken
Maar hij weet niet of Marije dat wel gezien heeft.
Acht hoog, dat is erg hoog.

Yung had nog veel langer met Marije willen
praten.
Hij vond het jammer toen ze bij haar flat waren.
Zal ik vragen of ik mee naar boven mag?, had hij
gedacht.
Misschien vindt ze dat helemaal niet gek.
Nederlanders zeggen toch ook altijd wat ze
denken?
Maar hij had het toch niet gedurfd.

Hij had haar naar die jongens willen vragen.
Die met die omgekeerde petjes op hun kop.
Het zijn geen Nederlandse jongens.
Ze hebben een accent en ze zien er ook niet
Nederlands uit.
Yung begrijpt niet dat die jongens hem pesten
omdat hij Chinees is.

Omgefietst

'Wat ben je laat', zegt Yungs moeder.

'Je zusjes zijn allang thuis.'

'Ik ben een heel eind omgefietst', antwoordt Yung.

'Ik was ongerust', gaat Yungs moeder verder.

'Ik ben bang als ik niet weet waar je bent.

Vooral als je op de fiets bent.'

Yung knikt.

'De volgende keer zal ik u bellen', zegt hij.

'Er komt geen volgende keer', vindt Yungs moeder.

'Je bent niet goed op de fiets. Je weet de weg niet.'

Yung kijkt haar verbaasd aan.

'Ik weet de weg wel', zegt hij.

'Waarom ben je dan verdwaald?', vraagt Yungs moeder.

Yung begint te lachen.

'Ik ben niet verdwaald', zegt hij.

'Ik ben omgefietst. Dat is iets anders.'

'O', zegt zijn moeder.

'Maar het resultaat is hetzelfde.
Je bent erg laat thuis. En ik ben ongerust.'
'Ik zal niet meer omfietsen', belooft Yung.

Boven zitten de zusjes te eten.
'Ha broertje', zeggen ze alledrie.
'Hallo', antwoordt Yung.
Hij pakt zijn dienblad met eten.
'Hoe was het op school?', vragen ze door elkaar
heen.
'Goed', zegt Yung.
'Heb je al vrienden?', vragen de zusjes verder.
Yung schudt zijn hoofd.
'Nee, helemaal niet', zegt hij. 'Ik word juist
gepest.'
De zusjes houden alledrie op met eten.
Ze kijken hem een hele tijd zwijgend aan.
'Waarom?', vraagt er één dan.

'Ik weet het niet precies', zegt Yung.
Hij prikt met zijn eetstokjes een beetje in de rijst.
'Ik denk omdat ik Chinees ben.'
Weer kijken de zusjes hem alledrie zwijgend aan.
Een hele tijd.

Pesten met je afkomst

Yung ziet dat zijn zusjes verbaasd zijn.
Hij weet ook wel waarom.
Wat hij nu doet is niet erg Chinees.
Broertjes en zusjes praten niet met elkaar over problemen.
Ze vertellen elkaar alleen vrolijke dingen.
Want zo hoort het.

Maar Yung heeft besloten minder Chinees te worden.
Yung heeft besloten gewoon te zeggen wat hij denkt.
'Hebben jullie dat ook wel eens gehad?', vraagt hij.
'Dat je gepest wordt, alleen maar omdat je Chinees bent?'
De zusjes kijken nu alledrie naar de grond.
Ze weten niet wat ze moeten zeggen.
'Ik wil het echt graag weten', dringt Yung aan.
'Ik begrijp het niet. De jongens die mij pesten zijn zelf ook niet Nederlands.
Ze hebben helemaal geen recht om mij te pesten.'

De twee jongste zusjes zetten zwijgend hun lege
dienblad in de keuken.
En ze gaan naar hun kamer.
De oudste blijft bij Yung.
'Ka-wai?', vraagt Yung. 'Weet jij het?'
Ka-wai gaat tegenover Yung zitten.
'Niemand heeft het recht om een ander te
pesten', zegt ze.
'Of ze nou Nederlands zijn of niet.
Niemand heeft het recht om een Chinees een
stomme pinda te noemen.
Of om een Marokkaan een kut-Marokkaan te
noemen.'

Yung denkt even na over wat zijn zusje gezegd
heeft.
'Ik begrijp het nog wel van Nederlanders', zegt hij.
'Wij wonen in hun land, toch?'
Ka-wai kijkt ernstig.
'Wij zijn ook Nederlanders', zegt ze.
Maar Yung schudt zijn hoofd.
'Kijk nou naar ons', zegt hij.
'Wij zien er Chinees uit. Wij eten Chinees.
Wij spreken Chinees. Wij denken Chinees.'

Later lukt het niet meer

'En toch zijn wij Nederlanders', zegt Ka-wai.
'Net zo Nederlands als als ... dat blonde meisje
dat daar loopt.'
Ka-wai wijst naar buiten.
Yung kijkt ook. Hij schiet in de lach.
'Ja, ik zie bijna geen verschil tussen jullie', zegt
Yung.
Maar Ka-wai blijft ernstig.
'Het gaat er niet om hoe je eruitziet', zegt ze.
'Het gaat om heel andere dingen.
Of je een Nederlands paspoort hebt, bijvoorbeeld.
Dat is eigenlijk het belangrijkste.
Met een Nederlands paspoort, ben je
Nederlander.'

Yung denkt een hele tijd na.
Maar dan schudt hij zijn hoofd.
'Nee', zegt hij.
'Vader en moeder hebben een Nederlands
paspoort.
Maar ik kan ze echt geen Nederlanders vinden.
Ze spreken niet eens behoorlijk Nederlands.'

Ka-wai glimlacht even.
Yung heeft wel gelijk.
Hun ouders proberen het wel, elke dag weer.
Maar hun Nederlands lijkt nergens op.

'Dat is iets anders', vindt Ka-wai.
'Dat heeft te maken met ingeburgerd zijn.'
'Hè?', zegt Yung.
'Kijk', legt Ka-wai uit.
'Onze ouders zijn geboren in Hong Kong.
Daar zijn ze opgegroeid. Daar zijn ze naar school
gegaan.
Later zijn ze naar Nederland geëmigreerd.
Ze wilden wel graag goed Nederlands leren.
Maar dat lukte toen niet meer.
Als het niet je eigen taal is, is Nederlands heel
moeilijk.
Om het goed te leren, moet je op een
Nederlandse school zitten.
En niet een paar jaar, maar echt van je 4e tot je
18e jaar.'

Ingeburgerd

'Hoe zit dat dan met dat ingeburgerd zijn?',
vraagt Yung.
'Vader en moeder zijn niet goed ingeburgerd,
zeg je.
En wij dan wel? Omdat we hier op school zitten?'
Ka-wai denkt even na.
'Het is ingewikkelder', zegt ze.
'Het heeft niet alleen met het goed spreken van
Nederlands te maken.
Het heeft ook te maken met werk hebben.
En het heeft te maken met je hier thuis voelen.'

'Vader en moeder hebben werk', zegt Yung.
'Maar ik weet niet zeker of ze zich hier thuis
voelen.
Misschien waren ze wel liever in Hong Kong
gebleven.'
Ka-wai staart even voor zich uit.
'Tja, dat weet ik ook niet', zegt ze.
'Ze zeggen er nooit iets over.
Maar ik denk dat ze Hong Kong wel missen.
En vooral de familie in Hong Kong.'

'Maar zijn ze nou wel of niet ingeburgerd?',
vraagt Yung.
'Een beetje wel en een beetje niet', vindt Ka-wai.
'En wij?', vraagt Yung. 'Jij en ik en de andere
zussen?'
'Ja, wij wel', zegt Ka-wai.
'Wij zitten hier op school. Wij spreken goed
Nederlands.
Wij willen hier later werken. Wij voelen ons echt
Nederlands.
Toch?'
Yung denkt er even over na.
'Toch?', dringt Ka-wai aan.

'Ik weet het niet precies', zegt Yung dan.
'Ik zit hier op school en ik spreek goed
Nederlands.
Ik wil hier later werken en blijven wonen.
Ik heb niks met Hong Kong.
Maar of ik me nou echt Nederlands voel?
Ik voel me ook Chinees.
En dat is logisch.
Als ik in de spiegel kijk, zie ik een Chinees.
En geen Nederlander.'

Lekke band

De volgende dag gaat Yung weer met de bus naar
school.
Niet omdat zijn moeder dat wil.
Maar omdat zijn band lek is.
'Dat ze daar toch nog niks op gevonden hebben',
moppert Yung.
'Er zijn meer fietsen in Nederland dan
Nederlanders.
En al die fietsen hebben twee banden.
En al die banden gaan lek.
Minstens één keer per jaar.
Dat er nou nooit een band is uitgevonden die niet
lek kan gaan.
Daar begrijp ik niks van.
Vliegtuigen gaan harder dan het geluid.
Mensen zijn op de maan geweest.
Maar iedere dag gaan er ...'
Yung denkt na.
'Iedere dag gaan er 100.000 banden lek',
zegt hij dan.

Zijn zusjes lachen.

Ze pakken vrolijk hun fietsen, die geen lekke
banden hebben.
Kletsend en lachend fietsen ze weg.
Yung loopt naar de bushalte.

De jongens met de petjes zitten niet in de bus.
Gelukkig, denkt Yung.
Toch gaat hij weer achter de chauffeur zitten.

Hij heeft lang nagedacht over zijn gesprek met
Ka-wai.
Het is allemaal best moeilijk.
Natuurlijk is iedereen met een Nederlands
paspoort Nederlander.
Maar sommige mensen zijn toch Nederlandser
dan anderen.
En waar dat nou precies mee te maken heeft ...
Yung weet het niet precies.

Ik vraag het aan Marije, denkt Yung dan.
Hij voelt zich blij worden bij die gedachte.
Met Marije kan hij echt over alles praten.
Geweldig is dat.

Marijes mening

'Het heeft te maken met drop lusten', vindt
Marije.
'Alleen echte Nederlanders lusten drop.
Buitenlanders vinden drop altijd vies.
Niet alleen de buitenlanders die we allochtonen
noemen.
Maar ook andere buitenlanders.
Amerikanen en Fransen en zo.'
Yung kijkt teleurgesteld. Hij houdt niet van drop.

'En het heeft te maken met fietsen.
Nederlanders fietsen al vanaf hun geboorte', gaat
Marije verder.
'Ja hoor', zegt Yung.
'Dat zie je overal: baby's op de fiets.'
Marije grinnikt.
'Nou goed, ik overdrijf een beetje', zegt ze.
'Maar kijk eens om je heen.
Alle Nederlandse vaders en moeders hebben
kinderzitjes op hun fiets.
En als ze twee jaar worden krijgen Nederlandse
kinderen een driewieler.

Nederlanders vinden het heerlijk om te fietsen.
Het gaat hier ook heel makkelijk.
We hebben geen bergen, zelfs geen heuvels.'

'Maar wij fietsen ook', zegt Yung.
'Ja?', Marije kijkt hem vragend aan.
'Je vader en moeder ook?'
'Nee, die niet', geeft Yung toe.
'Dat bedoel ik', zegt Marije.

Yung kijkt teleurgesteld.
Hij had een ander antwoord verwacht van Marije.

Sport

'Het heeft ook te maken met kinderfeesten', zegt
Marije weer.
'Sinterklaas, Sint-Maarten; daar zijn we dol op.'
'Maar wat maakt het nou uit welk feest je viert',
zegt Yung.
'Niks', geeft Marije toe.
'Maar jij vraagt wat iemand echt Nederlands
maakt.
Schoentje zetten met een wortel voor het paard.
Onbegrijpelijke liedjes zingen bij de schoorsteen.
Brieven maken voor Sinterklaas, ook als je nog
niet kunt schrijven.
En later: vieze surprises maken met flauwe
gedichten om iemand te pesten.
Dat is Nederlands.
Dat vinden we leuk.
Daar zijn we trots op.'

'Is dat alles?', vraagt Yung.
'Drop eten, fietsen en Sinterklaas vieren?'
Marije denkt na.
'Nou, misschien ook sport', aarzelt Marije.

'Maar dat is niet typisch Nederlands.
Dat is iets van alle landen.
Juichen voor je eigen voetbalelftal.
Blij zijn als jouw land veel medailles heeft
gewonnen bij de Olympische Spelen.'
Marije houdt ineens op met praten.
Ze kijkt Yung aan.
'Ja, dát is het', zegt ze.
'Wat?', vraagt Yung.

'Kies een sport waar je graag naar kijkt', zegt
Marije.
'Voetbal', antwoordt Yung meteen.
'Stel je voor dat Nederland tegen China voetbalt',
vervolgt Marije.
'Voor wie ben je dan?'
'Voor Nederland.'
Yung hoeft er niet eens over na te denken.
'Dan ben je een echte Nederlander', vindt Marije.
'Ook als ik geen drop lust?', vraagt Yung.
'Nou, vooruit', zegt Marije lachend.

Vechten

Yung voelt zich blij als hij naar de bus loopt.
Ik ben echt Nederlands, denkt hij.
Ik ben een echte Nederlander die eruitziet als
een Chinees.
Dat kan. Dat heeft Marije zelf gezegd.
Het maakt hem ineens niet uit dat de petjes bij
de halte staan.
Hij gaat gewoon naast hen staan.
En hij steekt een sigaret op.

'Hé spleetoog, weet je wel dat je daar kanker van
krijgt?', grapt één van de jongens.
'En van kanker word je mager, hoor', zegt de
tweede.
'Ja, en dan valt Marije niet meer op je spierballen',
zegt de eerste weer.
Yung zegt niets terug.
Hij neemt rustig nog een trek van zijn sigaret.
Hij voelt zich prima.
Hij heeft alles onder controle.

Maar ineens verandert dat allemaal.

Later kan Yung zich niet meer herinneren wat er
precies misging.
Hij denkt dat één van de jongens geduwd heeft.
En dat daardoor twee jongens tegen Yung
aanvallen.
Dan roept iemand iets.
Yung hoort niet goed wat.
Maar hij verstaat zoiets als: Dat vindt die homo
wel lekker.

Hij herinnert zich dat hij zijn handen naar voren
heeft uitgestoken. Om de twee vallende jongens
van zich af te houden.
En dat één van de jongens het ineens uitbrulde
van de pijn.
Yungs brandende sigaret was tegen zijn gezicht
aangekomen.

Wat er daarna gebeurt, daar weet Yung nog alles
van.
De jongens komen met z'n allen op hem af.
Ze gooien hem op de grond.
Ze trappen hem in zijn maag en in zijn buik.
Ze slaan met hun vuisten op zijn gezicht.

Op het bureau

'Hij zegt dat jij een brandende sigaret in zijn
gezicht hebt gedrukt.'
De politieagent kijkt Yung aan.
Yung kan hem niet goed zien.
Maar zijn stem klinkt vriendelijk.
Yung schudt zijn hoofd. Het doet pijn.
'Ik heb het niet expres gedaan', zegt hij
langzaam.
'Twee jongens vielen tegen mij aan.
Eén van hen kwam met zijn gezicht tegen mijn
sigaret.'

'Hij zegt dat jullie altijd ruzie met elkaar hebben.
Hij zegt dat er elke dag bij de bushalte gepest
wordt.'
Yung zucht.
'Ik word altijd gepest', zegt hij.
'Waarom dan?', vraagt de agent.
'Omdat ik Chinees ben. Ze noemen me
spleetoog en pinda.'
'En jij?', vraagt de agent. 'Wat doe jij dan?'
'Niks natuurlijk', antwoordt Yung.

'Als je iets terugzegt, gaan ze je nog meer pesten.
Niets doen is het beste wat je kunt doen.
En dan ... Zij zijn met z'n vieren.
Ik kan in m'n eentje nooit van hen winnen.'
De agent knikt.

'O nee, mijn Yung, mijn kleine Yung', hoort
Yung opeens in het Chinees.
Yungs moeder komt jammerend binnen.
'O, mijn kind, wat hebben ze met je gedaan?',
klaagt ze.
Yungs moeder gaat op haar knieën zitten bij het
bed waarop Yung ligt.
Ze strijkt met haar hand over zijn hoofd.
'O, mijn kind, heb je veel pijn?', vraagt ze.
'Het gaat wel', zegt Yung flink.
Hij weet dat hij zijn moeder gerust moet stellen.
Hij moet vooral niet zeggen dat zijn hele lijf pijn
doet.
Dat hij het gevoel heeft dat er een vrachtauto over
hem heen is gereden.

De agent pakt Yungs moeder bij haar arm.
'U kunt beter even gaan zitten', zegt hij.

Niks gedaan?

De agent stelt Yungs moeder gerust.
Er is een dokter bij Yung geweest.
Die zei dat het allemaal wel weer goed komt.
Yung ziet er nu niet uit.
Zijn ogen zijn dik en rood.
Zijn lip is gescheurd.
Een van zijn wenkbrauwen bloedt.
Het lijkt wel alsof Yung meegedaan heeft aan
een bokswedstrijd.
Maar over een week of twee is Yung weer
helemaal gezond, zei de dokter.

Yungs moeder wordt een beetje kalmer.
'Mijn enig zoon', zegt ze droevig tegen de agent.
'Ik wil hem houden.'
'Natuurlijk', zegt de agent. 'En dat gebeurt ook.'
'Hij moet hier blijven?', vraagt ze.
'Nee hoor', antwoordt de agent.
'U mag hem meenemen naar huis.'
'Niks gedaan?', vraagt Yungs moeder verbaasd.
'Nee', zegt de agent. 'Hij heeft niks gedaan.
Een stel jongens heeft hem in elkaar geslagen.'

'Om niks?', Yungs moeder begrijpt het niet.

'Soms gebeurt dat', zegt de agent.

'Er is veel agressie op straat.

Vooral onder jongeren.'

Yungs moeder kijkt de agent lang aan.

'Niet eerlijk', vindt ze.

'Nee, het is niet eerlijk', zegt de agent.

'Jongens moeten in gevangenis', zegt Yungs
moeder weer.

'We zullen met die jongens gaan praten', belooft
de agent.

'Praten niet genoeg', gaat Yungs moeder door.

'Die jongens worden echt wel gestraft, mevrouw',
zegt de agent.

Hij staat op.

'Zal ik u met uw zoon naar huis brengen?',
vraagt hij.

De kaart

Yung krijgt een grote kaart van zijn klas.
Van harte beterschap, staat erop.
Alle namen van zijn klas staan erin.
De meesten hebben er ook nog iets bij
geschreven.
Word gauw beter, Peter.
En: Rust lekker uit arme zieke, Mieke.
Yung zoekt naar Marijes naam.
Maar hij kan Marije nergens vinden.
Misschien was ze ziek, denkt Yung.

Dan doet hij de kaart dicht en legt hem naast zijn
bed.
En dan ziet hij het.
Op de achterkant van de kaart heeft Marije
geschreven.
Een heel verhaal.

Yung, ik ben me rot geschrokken, schrijft ze.
Heb je echt met al die jongens gevochten om mij?
Dat vind ik natuurlijk wel gaaf.
Echt zielig dat je zo geslagen bent.

Kan ik een keer bij je langs komen?
Of je bellen?
Sms je mobiele nummer naar me.
Dit is het mijne.
En dan staat er een o6-nummer.
En er staat nog iets.
((Marije)):**.

Die twee sterretjes betekenen: kisses. Dat weet
Yung.
Maar die haakjes?
Ik moet toch eens zo'n boekje kopen, denkt
Yung.
Waarin de betekenis van al die tekentjes staat.

Yung zucht.
Wat zou hij graag zijn mobiele nummer naar
Marije sms'en.
Maar hij heeft geen mobiele telefoon.
En hij krijgt er ook geen één.
Hij heeft het al zo vaak gevraagd.
Maar zijn ouders vinden het onzin.

Een mobieltje

'Dag zoon van mij.' Yungs vader komt binnen.
'Dag vader', mompelt Yung.
Het praten gaat nog steeds niet goed.
Zijn lippen zijn heel dik.
En zijn tandvlees doet pijn.
Het is een wonder dat er niets met zijn tanden is
gebeurd.
Die zitten nog allemaal keurig op hun plaats.

Yungs vader zet een kom thee voor Yung neer.
Met een buigrietje erin.
Yung moet erom lachen.
Zo heeft hij nog nooit thee gedronken.
Alleen limonade, op een kinderfeestje.
Maar het is wel een goed idee van zijn vader.
Gewoon drinken gaat haast niet met die pijnlijke
lippen.
Hij pakt de thee en drinkt een beetje door het
rietje.

'Ik heb iets voor je gekocht', zegt Yungs vader.
Hij geeft Yung een pakje.

'Mag ik het openmaken?', vraagt Yung.

Zijn vader knikt.

'Ik weet dat je het graag wilt hebben', zegt Yungs vader.

'En misschien is het ook wel verstandig om er één te hebben.'

Een verstandig cadeautje?

Yung kijkt zijn vader verbaasd aan.

Wat kan dat nou zijn?

En dan ziet hij het: een mobieltje.

Het is niet echt een cool mobieltje.

Niet zo een waarmee je foto's kunt maken.

En waarmee je naar muziek kunt luisteren.

Niet zo'n klein apparaatje dat je uit kunt klappen.

Het is een beetje een groot, oud model.

Maar het is wel een mobieltje.

Yung kijkt zijn vader blij aan.

'Dankuwel, vader', zegt hij beleefd.

'Daar ben ik heel blij mee.'

Eigenlijk niet waar

Yungs vader knikt.
'Nu kun je je moeder bellen als je omfietst', zegt hij.
'En je kunt de politie bellen, als je wordt aangevallen.'
Daar heb ik dan helemaal geen tijd voor, denkt Yung.
Maar tegen zijn vader zegt hij niets.
Glimlachend loopt zijn vader Yungs kamer uit.
Hij vindt het fijn dat hij Yung blij heeft gemaakt.

Yung leest hoe hij zijn mobieltje moet gebruiken.
Het is niet moeilijk.
Zodra de batterij is opgeladen, sms't hij naar Marije.
Hij eindigt het sms'je met: ((Yung)):**.
Hij weet niet precies wat het allemaal betekent, maar het is vast goed.

Yung blijft wel een half uur naar zijn nieuwe mobieltje kijken.
Marije zal zo wel een sms'je terug sturen, denkt hij.

Maar er gebeurt helemaal niets.
Opnieuw leest Yung het boekje van het mobieltje.
Misschien heeft hij iets verkeerd gedaan.
Maar nee, alles lijkt in orde.
Waarom laat Marije dan niets van zich horen?

Yung kijkt op zijn horloge.
Het is tien uur. Marije zit nu op school.
Het is dinsdag, het tweede uur. Wiskunde dus.
En dan pas snapt Yung het. Natuurlijk!
Marije heeft haar mobieltje niet aan.
Dat mag niet onder de les.
Ze kan zijn sms'je nog niet gezien hebben.
Man, wat stom.

Yung legt zijn mobieltje weg.
Hij gaat lekker aan Marije denken.
Leuk, wat ze allemaal op die kaart heeft
geschreven.
Dat ze zo geschrokken is.
Dat ze een keer langs wil komen.
En dat ze het gaaf vindt dat hij om haar
gevochten heeft.
Alleen ... dat laatste is eigenlijk niet waar.

(:-*

Meestal vindt Yung het vervelend om thuis te
blijven.
Zo saai, de hele dag alleen.
Maar nu vindt hij dat niet erg.
Hij sms-t vaak met Marije.
De sms-jes gaan nergens over.
Maar die tekentjes zijn zo spannend.
Marije kent er een heleboel.
Soms begrijpt Yung ze wel.
Maar heel vaak ook niet.

'Hebben jullie zo'n boekje waarin die tekentjes
staan?', vraagt Yung aan zijn zusjes.
Natuurlijk snappen de zusjes niet waar hij het
over heeft.
'Tekentjes?', vragen ze. 'Wat voor tekentjes?'
Yung laat een sms'je van Marije zien.
De zusjes kijken elkaar giechelend aan.
'Zooo', zegt Ka-wai dan.
'Die Marije ziet jou wel zitten.'
Yung voelt dat zijn wangen rood worden.
Hij wou dat hij zijn zusjes niks had gevraagd.

Maar 's middags komen ze naar hem toe met een boekje.
Emoticons en Smileys, staat erop.
'Zo heten die tekentjes', zegt Ka-wai.
'Dankjewel', zegt Yung blij.
'Ga nu die sms'jes nog maar eens bekijken', zegt Ka-lai lachend.
'Ja, en schrik niet', grinnikt Ka-mai.
En dan zijn ze alweer weg.
Yung hoort ze op de gang nog kletsen en lachen.
Hij verstaat het niet, maar het gaat vast over hem.

Als Yung zijn mobieltje pakt, ziet hij dat Marije een berichtje heeft gestuurd.
Ik kom ff langs, staat er. Xie je om 4 uur.
Kannie w88. (:-*
Yung kijkt blij naar de kleine smiley.
Kus betekent dat. Mooi zo!
Dan kijkt hij op zijn horloge.
Tien voor vier! Marije komt zo!

Honger?

Yung heeft zich nog nooit zo vlug gedoucht en
aangekleed.
Snel loopt hij naar beneden, het restaurant in.
Zijn moeder staat achter de bar, zoals altijd.
'Dag zoon', zegt ze blij. 'Voel je je al beter?'
'Ja', knikt Yung. 'Ik krijg bezoek.'
'O?', zegt Yungs moeder.
'Een meisje uit mijn klas', legt Yung uit.
'Zij komt kijken hoe het met mij is.'
'Ah', vindt Yungs moeder. 'Daar is ze zeker?'
Ze wijst naar het grote raam.
Het raam waarop met grote letters SUN -WING
staat.

Daar staat Marije. Ze kijkt naar binnen.
Ze houdt haar hand boven haar ogen.
Yung zwaait naar haar, maar ze ziet het niet.
Gauw loopt Yung door het gangetje naar de deur.
'Ha, Marije', zegt hij, terwijl hij de deur
opendoet.
'Stond je te spioneren?'
'Ha Yung', zegt Marije.

'Ik zag geen bel. En ik durfde niet zomaar naar binnen te lopen.'
Yung kijkt haar lachend aan.
'Dit is een restaurant', zegt hij.
'Mensen lopen hier altijd zomaar naar binnen.
Ze bellen nooit aan.'
Marije moet lachen.
'Nee, natuurlijk niet', antwoordt ze.

'Kom mee naar boven', zegt Yung.
Hij loopt het gangetje door, met Marije achter zich aan.
'Dit is mijn moeder', zegt Yung, als ze langs de bar lopen.
Marije geeft Yungs moeder een hand.
'Dag mevrouw', zegt ze beleefd.
'Dag meisje', antwoordt Yungs moeder.
'Jij honger?'
Marije kijkt haar verbaasd aan.
'Wij eten genoeg', verklaart Yungs moeder.
'Loempia?'
Wat aardig, denkt Marije. Maar ze schudt haar hoofd. 'Nee, dankuwel', zegt ze.
Dan loopt ze achter Yung aan naar boven.

Kussen

Yung maakt een kommetje thee voor Marije.
Chinese thee.
'Ga maar ergens zitten', roept hij vanuit de
keuken.
'Mag ik even rondkijken?', vraagt Marije.
'Dit is zo'n grappig huis.'
Yung weet niet wat hij moet antwoorden.
Rondkijken in het huis van een ander, dat doe je
toch niet?

Maar gelukkig kijkt Marije alleen maar rond in
de woonkamer.
Dan komt ze de keuken in.
'Laat me jou ook eens bekijken', zegt ze.
Ze draait Yungs gezicht naar zich toe.
'Mèn', zegt ze. 'Dat ziet er echt naar uit.'
Voorzichtig gaat ze met haar vinger langs Yungs
wenkbrauw.
Daar zit een grote korst op.

'Het valt wel mee, nu', zegt Yung stoer. 'Het was
veel erger.'

Marije knikt.

Haar vinger gaat nu over zijn ogen, over zijn lippen.

'Doet het pijn?', vraagt ze.

Pijn?

Yung kijkt haar aan en schudt zijn hoofd.

'Nee', zegt hij schor. 'Helemaal niet.'

Langzaam komen Marijes lippen naar hem toe.

En heel zachtjes drukt ze een kus op zijn mond.

'Dit ook niet?', vraagt ze ernstig.

Weer schudt Yung zijn hoofd.

Hij weet niet wat hij moet zeggen.

Marije legt twee handen om zijn hoofd en trekt hem naar zich toe.

Ze kust hem lang. Heel zacht.

Yung voelt dat zijn hele lijf gaat gloeien.

Eerst zijn lippen, dan zijn hoofd, dan de rest van zijn lichaam.

Het lijkt wel alsof hij in brand staat.

Hij slaat zijn armen om haar heen en trekt haar tegen zich aan.

Wat vind je leuk aan mij?

'Wat vind je leuk aan mij?', vraagt Marije.
Ze zitten samen in de kamer, op de bank.
Marije draait het theekommetje rond in haar
hand.
Yung denkt even na.
'Alles is leuk aan je', zegt hij dan.
Het lijkt hem een prima antwoord, maar Marije
vindt van niet.
Ze trekt een vies gezicht.
'Gatver Yung', zegt ze.
'Dat is een slijmantwoord.
Je moet er echt over nadenken.
Niet zomaar wat zeggen.'

'Ik zeg niet zomaar wat', verdedigt Yung zich.
'Ik vind alles leuk aan je.
Je ziet er leuk uit, je doet leuk; echt alles.'
'Noem iets', zegt Marije.
'Je kleding', zegt Yung dan. 'Die is anders.
Niemand draagt zulke kleding als jij. Dat vind ik
stoer.'
Marije knikt tevreden.

'Ga door', zegt ze.

'Je bent geen meeloper', gaat Yung verder.
'Je hebt een eigen mening over veel dingen.
Dat vind ik super. Ik wou dat ik zo was.'

Marije glimlacht.
'Jij bent ook anders dan de meeste jongens', zegt
ze.
'Ja, maar niet omdat ik dat zelf wil', vindt Yung.
'Jawel', zegt Marije.
'Nog nooit heeft een jongen voor me gevochten.'
Yung weet niet wat hij moet zeggen.

Kusjes van Marije

Yung ligt blij in bed.
Vanmorgen had hij nog overal pijn.
Maar nu voelt hij zich supergoed.
Dat komt door Marije.
'Heb je de kaart van onze klas gekregen?', vroeg
Marije toen ze wegging.
'Ja, bedank iedereen', zei Yung.
'Vond je het niet grappig, al die rijmpjes?', vroeg
Marije weer.
'Ja, echt leuk', zei Yung.
'Ik had ook een rijmpje bedacht', zei Marije toen
geheimzinnig.
'Waarom heb je het niet op de kaart geschreven?',
vroeg Yung.
Marije grinnikte even.
'Het kon echt niet', zei ze.

Toen was Yung natuurlijk nieuwsgierig
geworden.
'Je kunt het me nu toch wel zeggen?', vroeg hij.
Maar Marije had haar hoofd geschud.
'Nee, het kan echt niet', zei ze weer.

'Toe?', had Yung met een kinderachtig
stemmetje gevraagd.
Hij had haar aangekeken als een klein jongetje
dat een ijsje wil.
Marije moest lachen.
'Ik zal het straks aan je sms'en', beloofde ze.
En toen was ze weggefietst.

Yung was wel erg nieuwsgierig geworden.
De hele avond had hij zijn mobieltje vlak naast
zich liggen.
Hij had er steeds op gekeken.
Maar er kwam geen sms'je van Marije.
En toen, ineens, prrrrrr, prrrrrr.
Yung was bijna in slaap gevallen.
Maar hij zat meteen rechtop.

Ik wil best met je vrijen; kusjes van Marije,
staat er op het kleine schermpje.
Yung hapt even naar adem.
Heeft hij het wel goed gelezen?
Hij kijkt nog eens.
Ja, het staat er echt.
Wow.

Xta voor de deur

Kom je vandaag weer?, sms't Yung naar Marije.
Hij staat voor het raam in de woonkamer.
Maar het is niet zo leuk als anders.
Het is nog vroeg; de videotheek is nog niet open.
Er is niet veel te zien op straat.
Mss, xalsien, antwoordt Marije even later.
Het duurt een poosje voordat Yung het berichtje
begrijpt.
En dan is er alweer een berichtje.
Xta voor de deur!

Hoe kan dat nou?, denkt Yung.
Hij rent naar beneden.
Marije staat inderdaad voor de deur.
Yung doet de deur van het slot.
'Hoi', zegt Marije lachend. 'Waarom zat de deur
op slot?'
'We zijn nog niet open', zegt Yung.
'We gaan pas open voor de lunch.'

Ze lopen achter elkaar naar de bar.
'Hé, is je moeder er niet?', vraagt Marije.

'We zijn nog niet open', herhaalt Yung.
'Mijn ouders zijn naar de groothandel en naar de markt.
Dat moet ook gebeuren.'
Ja natuurlijk, denkt Marije.
'Het is wel hard werken, hè, met een restaurant', zegt ze tegen Yung.
Yung knikt.
'Dat is niet erg, als er genoeg mensen komen eten', zegt hij.
'Maar soms komt er niemand.
En dan doe je al dat werk voor niets.'

Ze lopen de trap op, naar boven.
'Wil je thee?', vraagt Yung.
'Nee', zegt Marije.
'Ik kom je vertellen over die jongens waarmee je gevochten hebt.'
'O?', zegt Yung verbaasd.
Hij had iets heel anders verwacht.

Project

'We hebben een project op school', vertelt Marije.
'Omgaan met agressie, heet het.
Die vechtpartij van jou is de oorzaak.
We moeten allemaal rollenspelltjes spelen.
Dan staat iemand zogenaamd te wachten bij de
bushalte.
En dan komt een groepje dat gaat treiteren.
We leren hoe we daarop moeten reageren.'

'O', zegt Yung. 'Is het wat?'
Marije haalt haar schouders op.
'Ach, het is beter dan Frans of geschiedenis',
vindt ze.
'Wat is er eigenlijk met die jongens gebeurd?',
vraagt Yung.
'Ze moeten meedoen met die rollenspelletjes',
grinnikt Marije.
'En ze moeten uitleggen waarom ze zo graag
pesten. Dat is trouwens wel leuk.
Veel jongens pesten om het pesten. Niet om
degene die gepest wordt.'
'Hè?', vraagt Yung.

'Nou, het maakt niet uit wie er gepest wordt.
Jij of ik of iemand anders.
Wie er toevallig in de buurt is, die wordt gepest.
Het gaat om een gevoel van macht. Dat is
eigenlijk alles.'

Yung denkt er even over na.
'Maar die vechtpartij van jou was heel anders,
hè?', zegt Marije.
Ze kijkt Yung verliefd aan.
'Jullie hebben met elkaar gevochten om mij, toch?'
'Ik weet het niet', aarzelt Yung.
Hij wil Marije wel vertellen hoe het volgens hem
is gegaan.
Maar hij durft het niet.
Hij is bang dat Marije hem dan niet zo geweldig
meer vindt.
'Tuurlijk wel', zegt Marije.
Ze slaat haar armen om zijn nek.
'Je hebt om mij gevochten.
Omdat die jongens zeiden dat ik een slet ben.
En daarom ...'
Ze kust Yung even op zijn mond. 'En daarom ...
heb ik je dat stoute sms'je gestuurd', zegt ze.

Mooie Marije

Yung besluit zijn mond te houden.
Het maakt toch niet uit waarom hij gevochten
heeft.
Nou ja, gevochten ...
Hij is natuurlijk gewoon in elkaar geslagen.
Maar Marije wil graag denken dat hij gevochten
heeft.
Om haar.

Hij kan ook niets meer zeggen.
Marije kust hem, en nog eens, en nog eens.
Op zijn lippen, op zijn ogen en weer op zijn
lippen.
Ze haalt haar handen door zijn haren.
En dan trekt ze het bruine jasje uit.
En ze maakt de knoopjes van haar jurk los.
Aan de voorkant.
Yung kijkt sprakeloos toe.

'Wanneer komen je ouders thuis?', vraagt Marije.
Yung haalt zijn schouders op.
Hij heeft geen idee.

'Misschien kunnen we beter naar jouw kamer gaan?', vraagt Marije.
'Dan worden we niet betrapt.'
Ze pakt Yungs hand en trekt hem mee.
Yung laat het allemaal maar gebeuren.
Hij kan absoluut niet meer logisch nadenken.

Maar Marije denkt nog wel na.
Ze doet de deur van Yungs kamer op slot.
En ze begint zich langzaam uit te kleden.
De grote hoge schoenen maakt ze los.
De jurk glijdt langs haar lichaam naar beneden.
Ze haalt de klem uit haar haren.
En dan staat ze voor Yung, in haar ondergoed.
Het dikke bruine haar valt tot ver over haar schouders.
Yung knippert met zijn ogen en zucht diep.
Hij heeft in zijn hele leven niet zoveel moois gezien.

Marijes verhaal

De politie is op school.
Twee agenten ondervragen een heleboel
leerlingen.
Over 'het incident bij de bushalte'.
'Wat nou incident', moppert Marije.
Ze zit tegenover twee agenten.
'Het was een echte knokpartij.'
Ze kijkt de agenten even aan.
'Om mij', voegt ze er trots aan toe.
De agenten kijken haar verbaasd aan.
'O? Kun je daar wat meer over vertellen?', vraagt
één van hen.

En Marije vertelt.
Dat een paar jongens Yung steeds uitschelden.
Dat ze dat doen omdat Yung met haar, Marije,
omgaat.
'Ze kunnen het niet hebben', zegt Marije.
'Daarom noemen ze Yung spleetoog en pinda.
Gewoon, omdat ik hem wel leuk vind. En hen
niet.'
Ze wacht even en haalt diep adem.

Dan gaat ze verder.
'Yung is vreselijk kwaad geworden', vertelt ze.
'Die jongens noemden mij een slet en een hoer.
Hij wilde me verdedigen.
Toen is hij die jongens aangevlogen.
Stom natuurlijk, want hij was in z'n eentje.'

De agenten kijken elkaar aan.
Dat is een heel ander verhaal dan het verhaal van
Yung.
Wie moeten ze nu geloven?
'Dat is niet wat wij van Yung gehoord hebben',
zeggen de agenten.
'Hij zei dat hij niets heeft gedaan.
Dat die jongens tegen hem aan vielen.
En dat één van hen per ongeluk tegen zijn sigaret
aankwam.
Yung heeft niets verteld over een vriendinnetje,
dat hij moest verdedigen.'

Een hoofd vol Marije

Yung is weer op school.
Zijn gezicht heeft nog wel een paar blauwe
plekken.
En ook zijn lijf ziet er nog bont en blauw uit.
Maar de pijn is een stuk minder dan een week
geleden.

Yung wilde ook graag weer naar school.
Vooral om Marije.
Maar ook om aan iedereen te laten zien dat
Marije nu zijn vriendin is.
Hij kan het zelf nog maar nauwelijks geloven.
Het mooiste meisje van de school, van hem!

Alleen, hij heeft nog geen woord met Marije
kunnen spreken.
Ze is steeds druk bezig met anderen.
Het lijkt wel alsof ze hem niet wil zien.
Maar dat kan natuurlijk niet.
Een paar dagen geleden hebben ze samen gevreeën!
Ze hebben elkaar helemaal uitgekleed.
Ze hebben samen bloot op zijn bed gelegen.

Ze hebben elkaar gezoend en gestreeld.
En ze hadden misschien nog wel meer gedaan,
als Yungs ouders niet waren thuisgekomen.

Marije wilde wel doorgaan, maar Yung was daar
te onrustig voor geweest.
'Je deur zit toch op slot', had Marije gezegd.
'Je kent mijn ouders niet', had Yung geantwoord.
Hij had zich snel aangekleed en was naar
beneden gelopen.
Intussen had Marije haar kleren ook weer
aangetrokken.
Toen Yungs ouders boven kwamen, zat Marije
keurig aangekleed in de woonkamer.
Met een kommetje thee in haar hand.

De dagen daarna was Yungs hoofd vol Marije
geweest. Er was geen plaats voor iets anders.
Hij dacht niet aan school.
Hij dacht niet aan de jongens van het bushokje.
Hij dacht niet aan de pijn in zijn lijf.
Hij dacht alleen maar aan Marije.
En hoe het zou zijn geweest als zijn ouders niet
waren thuis gekomen ...

Verdoofd

De laatste bel klinkt.
Gelukkig, denkt Yung. Nu kan ik naar Marije toe.
Zelfs in de pauzes was het niet gelukt om met
haar te praten.
Hij kon haar steeds niet vinden.

Yung holt de klas uit, achter Marije aan.
Bij de trap heeft hij haar ingehaald.
Hij slaat een arm om haar schouders en zegt:
'Ik heb een verrassing voor je.'
Hij maakt zijn rugtas open.
Want daarin zit die verrassing.
Een klein speelgoedpoesje, met een das om.
Hij zag het gisteren in de etalage van de
speelgoedwinkel.
En hij had meteen aan de poes van Marije
gedacht.
De poes die zij altijd aankleedde en meenam in
een mandje op haar fiets.

'Blijf van me af', snauwt Marije.
Ze duwt Yungs arm weg en rent de trap af.

Yung is zo verbaasd, dat hij niks doet.
Hij loopt niet achter haar aan.
Hij roept niet.
Hij staat bovenaan de trap, zonder zich te bewegen.

Als de lerares Duits eraan komt, staat hij daar nog steeds.
'Hé Yung', zegt ze.
'Het is vier uur. Moet je niet naar huis?'
Yung kijkt haar wazig aan.
Hij ziet dat de lerares schrikt.
'Yung?', vraagt ze 'Is alles goed met je?'
'Eh, ja', zegt Yung.
Hij wordt wakker uit zijn verdoving.
'Ik eh, ik stond na te denken', verklaart hij dan.
En hij begint naar beneden te lopen.
De lerares loopt met hem mee.

'Weet je zeker dat het goed met je gaat?', vraagt de lerares bezorgd.
Yung knikt. 'Ja, hoor.'
'Hoe ga je naar huis?', vraagt ze toch nog.
'Met de bus', antwoordt Yung.

IJskast

In de bus kan Yung nadenken.
Ik moet weten wat er aan de hand is, denkt hij.
Ik ga Marije meteen een sms'je sturen.
Hij haalt zijn mobieltje tevoorschijn.
'Wat een enorme ijskast', zegt een jongen
tegenover hem.
Yung kijkt verward op.
Enorme ijskast? Wat bedoelt hij?

De jongen tegenover hem lacht even om Yungs
verbaasde gezicht.
'Je mobieltje', knikt hij.
'Het is een eh ... klassiek model, zal ik maar
zeggen.' Nu begrijpt Yung het.
Waar bemoeit hij zich mee?, denkt Yung.
Het lijkt er niet op dat die jongen ruzie zoekt.
Maar waarom zegt hij dan zoiets?

'Ik kan ermee bellen', antwoordt Yung dan.
'Tuurlijk', antwoordt de jongen.
'En op die schoenen kun je lopen', voegt hij
eraan toe.

Nu is Yung weer in de war.
Wat is er mis met zijn schoenen?
Waarom doet iedereen toch zo raar?

'Jullie zijn een stelletje arrogante
schijt-Amsterdammers', schreeuwt hij ineens.
De jongen schrikt zich rot.
'Altijd maar shit-opmerkingen maken', gaat Yung
door.
'Jullie moeten eens leren je bek te houden.
Pisvingers.'
Woedend loopt hij naar de uitgang.
'Nou, dat is geen goede manier om vrienden te
maken', merkt de chauffeur op.

Verkeerd

Yung is helemaal verkeerd uitgestapt.
Hij staat in een vreemde straat bij een bushalte.
Aan het busbordje te zien komen hier veel
bussen langs.
Yung zucht.
Zijn woede is gezakt, maar hij voelt zich niet
vrolijk. Natuurlijk niet.
Er gebeuren vandaag zoveel dingen die hij niet
begrijpt.

Ik zal maar op de volgende bus wachten, denkt
Yung.
Hij gaat op het busbankje zitten en pakt zijn
mobieltje.
Nu eerst een berichtje sturen aan Marije.
Toetoet, klinkt het dan.
Een grote dubbele bus is bij de halte gestopt.
De chauffeur van de bus kijkt Yung vragend aan.
Yung kijkt vragend terug.
De chauffeur doet de deuren open.
'Blijf je hier of ga je mee?', vraagt hij.
'Waar gaat u naartoe?', vraagt Yung.

'Uiteindelijk naar het Centraal Station', zegt de man.

'Maar eerst ga ik nog een heel stuk door West. Leuke route, hoor. Veel te zien.'

Yung schiet in de lach.

'Ik moet naar Oost', zegt Yung.

'Maar dat kan natuurlijk ook via het Centraal Sation.'

'Dat zou ik denken', vindt de chauffeur.

En Yung stapt in.

De bus slingert door de woonwijken van West. Yung heeft er eigenlijk meteen al spijt van dat hij is ingestapt. Linksaf, rechtsaf, driekwart om een rotonde heen, weer rechtsaf ...

En dan staat de bus ineens stil voor de flat waar Marije woont.

Yung denkt er niet eens over na.

Hij pakt zijn rugtas en stapt uit.

'Je moest toch naar Oost?', vraagt de chauffeur verbaasd.

'Ik ga eerst even langs bij een vriendin', antwoordt Yung.

'Aha', zegt de chauffeur.

Rot op

Marije is thuis.
Dat ziet Yung aan het blauwe lampje voor haar
raam.
Maar zou ze Yung wel binnen willen laten?
Hoe moet ik het aanpakken?, denkt Yung.
Sms'je sturen? Hier beneden aanbellen?
Met iemand mee naar binnen glippen en op de
deur gaan bonzen?
Het wordt een sms'je.
Xta voor je deur. Yung.
Hij krijgt bijna meteen een sms'je terug: Rotop.

Net op dat moment gaat de voordeur van de flat
open.
Een man met een hond loopt naar buiten.
Langzaam valt de deur weer in het slot.
Gauw loopt Yung naar de deur toe en houdt hem
tegen. Zo, hij is binnen.

Yung kijkt even om zich heen om de lift te
zoeken.
Maar hij ziet geen lift.

Dat zal toch niet waar zijn?, denkt Yung.

Zo'n hoge flat en dan geen lift?

Zou Marije iedere dag al die trappen op en af moeten lopen?

Maar dan ziet hij het; in de hoek van de hal is de lift.

Yung zoeft naar boven. Naar Marije toe.

Op de achtste verdieping gaan de liftdeuren open.

En daar staat Yung dan, op een gang.

Een gang met twaalf deuren.

Tja, waar zou de woning van Marije zijn?

Yung zoekt naar namen.

Op tien van de twaalf deuren zit een naambordje.

Maar het zijn allemaal geen bekende namen voor Yung.

Op twee van de deuren staat geen naam.

Waar moet hij aanbellen?

Marijes kamer is op een hoek, denkt Yung.

Ik moet dus een hoekwoning hebben.

Eén van de deuren zonder naam is een hoekwoning.

Daar dan maar aanbellen.

Pinda zonder ballen

Marije doet open.
Als ze Yung ziet, wil ze de deur meteen weer
dichtgooien.
Maar Yung had daar op gerekend.
Hij zet gauw zijn voet tussen de deur.
'Sodemieter op', zegt Marije. 'Leugenaar.'
'Marije, praat met me', smeekt Yung.
'Ik begrijp echt niet wat ik gedaan heb.'

Marije knijpt haar ogen tot spleetjes.
'O nee?', zegt ze.
'Je hebt mij verteld dat je om me gevochten had.
Maar dat is helemaal niet waar.
Je bent gewoon in elkaar geslagen.
Slappe zak. Lulhannes. Pinda zonder ballen.'

Yung wil zich verdedigen.
Hij wil zeggen dat hij dat nooit heeft verteld.
Dat Marije dat zelf heeft bedacht.
Maar dan voelt hij een enorme woede in zich
omhoog opkomen.
Het komt door dat laatste scheldwoord.

Dat had Marije niet moeten zeggen.
Yung krijgt een waas voor zijn ogen.
Hij kan Marije niet goed zien.
Maar zijn vuist komt midden op haar gezicht
terecht.
Marije gilt het uit.

Van dat gillen schrikt Yung.
De waas voor zijn ogen trekt weg.
Hij ziet dat er een straaltje bloed uit Marijes neus
loopt.
O nee! Wat heeft hij gedaan?
Hij heeft het mooiste meisje van de wereld in
haar gezicht gestompt!

Niet naar school

Verdrietig zit Yung op zijn bed.
Een paar dagen geleden heeft hij op datzelfde
bed met Marije gelegen.
Bloot en verliefd.
En nu is alles veranderd.
Marije zal nooit meer zijn vriendinnetje willen zijn.

Zuchtend gaat hij liggen.
Slapen gaat toch niet; dat weet hij nu al.
De gebeurtenissen van vandaag spoken door zijn
hoofd.
Marije die zo kwaad was. Om niks eigenlijk.
De jongen in de bus met zijn rotopmerkingen.
Ook om niks.
En dan Yungs geschreeuw in de bus.
En de stomp op Marijes neus.
Niemand begrijpt me, denkt Yung.
Ik ben helemaal niet agressief van mezelf.
Maar ik word het van anderen.

De volgende morgen wordt hij met hoofdpijn
wakker.

Ik ga niet naar school, denkt Yung.
Ik blijf in bed vandaag.
Hij draait zich nog eens om en valt weer in slaap.

Als Yung voor de tweede keer wakker wordt,
staat zijn moeder bij zijn bed.
'Yung', zegt ze. 'Yung, word eens wakker.
Er is iemand die je wil spreken.'
Ze wijst naar een man die in de deuropening
staat.
Yung herkent hem meteen.
Het is de agent die hem ondervraagd heeft,
toen hij in elkaar was geslagen.
'Ga je eerst maar even aankleden', zegt de agent.
'Wij wachten wel op je in de woonkamer.'
Hij loopt samen met Yungs moeder de kamer uit.

Heel even denkt Yung aan weglopen.
Hij kan makkelijk via het platte dak op straat
komen.
Dan hoeft hij niet met die agent te praten.
En ook niet met zijn ouders.
Want daar ziet hij vreselijk tegenop.
Maar hij doet het toch maar niet.

Aangifte

Marije heeft aangifte gedaan bij de politie.
Haar neus is gebroken; ze moest naar het
ziekenhuis.
Marijes ouders waren woedend.
Ze hebben Marije meegenomen naar het
politiebureau.
Daar heeft Marije het hele verhaal verteld.
En aangifte tegen Yung gedaan.

De ouders van Yung schrikken erg.
En ze zijn ook vreselijk kwaad.
Dat ziet Yung wel, al laten ze er niet veel van
merken.
De agent wil nu het verhaal van Yung horen.

'Ze was mijn vriendin', zegt Yung zachtjes.
Hij kijkt naar de grond.
'Ineens wilde ze me niet meer.
Ze begon me uit te schelden.'
Yung zucht en kijkt de agent aan.
'Ze noemde me pinda, net als die jongens die me
in elkaar geslagen hebben.'

De agent knikt begrijpend.

'Dat doet pijn', zegt hij.

'Maar daarom hoef je haar toch geen stomp op haar neus te geven?'

'Nee', zegt Yung zachtjes.

'Dat wou ik ook niet. Echt niet.

Maar het gebeurde gewoon.'

'We moeten hier iets mee', zegt de agent.

'Er is aangifte van mishandeling gedaan.

Jij hebt ook aangifte gedaan, tegen die jongens bij de bushalte.

Die jongens moeten meedoen aan een project.

Leren omgaan met agressie, heet het.'

Yung knikt. 'Ik heb het gehoord', zegt hij.

'Ik ga jou ook inschrijven voor dat project', zegt de agent.

Straf

De agent legt uit wat het project is:
'Een deel van het project wordt op jouw school
gedaan, met alle leerlingen.
Maar er is ook een deel van het project na
schooltijd. Op het politiebureau.
Je moet eraan meedoen; het is verplicht.'
De agent kijkt de ouders van Yung aan.
Die knikken zwijgend.

Yung vindt het vreselijk oneerlijk.
Maar er is niets aan te doen.
Hij moet twee keer per week na schooltijd naar
het politiebureau.
Dat is nog niet zo erg.
Maar dat hij daar die jongens met die petjes
tegenkomt ... dat is wel erg.
Die agent doet alsof ik net zo slecht ben als die
kloothommels, denkt Yung.
En dat is niet zo.

Maar Yungs ouders vinden dat de agent gelijk
heeft.

'Je mag nooit geweld gebruiken', zegt Yungs
vader.
Hij kijkt zijn zoon kwaad aan.
'Ik begrijp jou niet', zegt Yungs moeder.
'Je weet hoe het is.
Jij bent het slachtoffer van geweld geweest.
En nu doe je het zelf.
Ik begrijp jou niet.'

Yung wil zich verdedigen.
'Dat was anders', zegt hij.
'Natuurlijk', antwoordt Yungs vader.
'Iedere situatie is anders.
Maar dit geldt voor alle situaties:
GEWELD IS NOOIT EEN OPLOSSING.'
Yungs vader praat ineens heel hard.
Yung schrikt ervan.

'Ik wil het nooit meer van je horen of zien', gaat
Yungs vader verder.
'Als je nog eens geweld gebruikt, zet ik je op
straat.
Dan ben je mijn zoon niet meer.'
En daar schrikt Yung nog meer van.

Kamer 13

Zuchtend stapt Yung het politiebureau binnen.
Hij moet in kamer 13 zijn.
Zouden ze die kamer expres het ongeluksgetal
hebben gegeven?, denkt Yung.
Hij doet de deur van kamer 13 open
Zo'n tien jongens zitten aan een grote tafel.
De petjes zijn er ook bij. Maar ze hebben hun
petjes nu niet op.
Yung gaat aan de tafel zitten.
Zo ver mogelijk van die jongens vandaan.
De jongens om de tafel hebben allemaal geweld
gebruikt.
En ze hebben allemaal straf gekregen. Deze straf
dus.

'Dat is Yung', vertelt de agent die binnenkomt.
Hij wijst naar Yung.
'Jullie kennen hem nog niet, want hij is hier
vandaag voor het eerst.
Maar jullie leren hem nog wel kennen.
Want hij gaat met ons meedoen.'
De agent gaat zitten en kijkt naar alle jongens.

'De vorige keer hebben jullie aan elkaar verteld
wat je gedaan hebt.
En waarom jullie het hebben gedaan.
Toen hebben we het dus gehad over de daders.
Nu gaan we praten over jullie slachtoffers.'
Weer kijkt de agent de kring rond.

'Jullie gaan je excuses aanbieden', gaat de agent
verder.
'Jullie moeten vragen hoe het nu met je slachtoffer
gaat. Jullie gaan ook vragen of hij of zij er nog
veel last van heeft.
Jullie vragen naar de lichamelijke pijn, maar ook
naar de geestelijke klachten.
Want veel slachtoffers van geweld houden er
angsten aan over.
Jullie zijn de oorzaak van die angsten.
En jullie moeten ervoor zorgen dat de angsten
overgaan.' De jongens kijken elkaar sprakeloos aan.

'We zijn geen hulpverleners', moppert er één.
'Mooi wel', antwoordt de agent.
'Bekijk het maar zo: jullie hebben rotzooi
gemaakt. En die gaan jullie nu zelf opruimen.'

Dader en slachtoffer

De agent kijkt weer van de één naar de ander.
'Met wie zullen we beginnen ...', zegt hij
nadenkend.
'Ja, natuurlijk, met Yung', zegt hij dan.
Yung schrikt. Ook dat nog.
'Yung is een apart geval', zegt de agent.
'Yung is dader én slachtoffer.
Yung gaat ons nu eerst zijn verhaal als slachtoffer
vertellen.'

Yung voelt zich vreselijk ongemakkelijk.
Eigenlijk wil hij gewoon zijn mond houden.
Maar dat gaat niet.
Iedereen kijkt hem aan; hij moet wel wat zeggen.
Hij hoest even.
En dan begint hij te vertellen.
In het begin gaat het allemaal een beetje
aarzelend.
Maar daarna gaat het steeds beter.
De agent en de jongens luisteren.
Niemand onderbreekt hem.
Hij kan zijn hele verhaal achter elkaar vertellen.

Yung is heel eerlijk.
Hij laat niets weg.
Hij vertelt ook van Marije.
Dat hij verliefd op haar was. Of eigenlijk nog
steeds is.
Maar dat ze niks meer van hem wil weten.
Hij vertelt en vertelt.
De jongens luisteren goed naar hem.
Af en toe ziet Yung iemand knikken.
Dat geeft een prettig gevoel.

Yung vertelt ook van zijn bezoek aan Marije.
En dat hij haar in haar gezicht gestompt heeft.
'Daarom zit ik hier', eindigt hij.
Hij wil ook nog zeggen dat hij dat niet eerlijk
vindt.
Maar dat lijkt hem toch niet zo'n verstandige
opmerking.

'Zo', zegt de agent. 'Je hebt niet alleen je
slachtofferverhaal verteld, Yung.
Maar ook je daderverhaal.'
'Die verhalen horen bij elkaar', vindt Yung.

Excuses

'Heb je iets geleerd bij de politie?', vraagt Yungs
vader.

'Jawel', antwoordt Yung.

'Wat?', wil zijn vader weten.

'Die jongens van de bushalte hebben gezegd dat
het hun spijt', zegt Yung.

'Zij wilden me wel pesten, maar niet in elkaar
slaan.
Ze werden ineens verschrikkelijk kwaad.
Omdat één van hen tegen mijn sigaret
aankwam.'

Yungs vader kijkt Yung aan.

'Is dat alles?', vraagt hij.

'Bij hen gebeurde eigenlijk hetzelfde als bij mij',
zegt Yung.

'Ik wilde Marije ook geen stomp geven.
Maar ineens word je zo kwaad, dat het gewoon
gebeurt.
We moeten leren om niet zo kwaad te worden.
We moeten ons leren beheersen.'

Yungs vader knikt.

'En nu?', vraagt hij.

'Ik moet naar Marije toe', zegt Yung.

'Ik moet vragen hoe het met haar gaat.

En ik moet zeggen dat het me spijt.'

'Heb je dat dan nog niet gedaan?', vraagt Yungs vader verbaasd.

'Nee', zegt Yung. Hij voelt dat zijn wangen rood worden. Zo erg schaamt hij zich.

'Dan ga je dat nu meteen doen', zegt Yungs vader nijdig. 'Je had allang je excuses moeten aanbieden.'

'Maar misschien wil ze me niet binnen laten', protesteert Yung.

'Dan bel je haar eerst op', zegt zijn vader.

'Je legt het maar uit.'

Yung zucht. Daar heeft hij nou helemaal geen zin in. Maar zijn vader blijft wachten tot hij de telefoon pakt.

En zo zit hij even later op zijn fiets, op weg naar Marije.

Hij heeft een grote bos bloemen voor haar gekocht. En hij heeft het kleine speelgoedpoesje meegenomen.

Op ziekenbezoek

De vader van Marije doet open.
Hij kijkt Yung niet erg vriendelijk aan.
'Dag meneer', zegt Yung.
'Ik ben Yung. Het spijt me vreselijk wat ik heb
gedaan.
Ik wou dat ik het goed kon maken.'
Marijes vader knikt.
'Kom maar binnen', zegt hij.
'Marije is in haar kamer.
Ze weet dat je komt, maar ze is er niet blij mee.'

Yung loopt naar binnen en kijkt om zich heen.
Hij heeft geen idee waar Marijes kamer is.
'Tweede deur rechts', zegt Marijes vader.
Yung klopt op de deur.
'Mmm', hoort hij.
Voorzichtig doet hij de deur open.
Marije zit in een stoel voor het raam, met haar
rug naar de deur. Yung kan haar gezicht niet zien.

Hij loopt naar Marije toe en legt de bos bloemen
op haar schoot.

'Het spijt me, Marije', zegt hij zachtjes.

'Het spijt me echt heel erg.

Kun je me vergeven?'

Marije draait haar stoel langzaam om.

Nu kan Yung haar gezicht zien.

Hij schrikt.

Marije ziet er afschuwelijk uit.

Haar neus is heel dik en helemaal blauw.

En niet alleen haar neus.

Er zitten ook grote blauwe plekken onder haar ogen.

Yung schudt zijn hoofd.

'Heb ik dat allemaal gedaan?', vraagt hij.

Hij kan wel huilen.

Die arme Marije; wat ziet ze eruit!

'Ja', zegt Marije. 'Dat heb jij allemaal gedaan.'

Haar stem klinkt vreemd.

Niet goed te maken

'Het komt toch wel weer goed?', vraagt Yung
angstig.
Marije haalt haar schouders op.
'Die blauwe plekken trekken wel weg', zegt ze.
'Dat duurt een tijdje, maar dat komt weer in orde.
Alleen mijn neus, dat weten ze nog niet.
Soms zie je er niets van, als een neus gebroken is
geweest.
Maar soms komt hij helemaal scheef te staan.
Daar is niks aan te doen.
Want een neus kun je niet in het gips zetten.
Zoals een gebroken arm of een gebroken been.'

Yung voelt de tranen achter zijn ogen zitten.
Als Marijes neus echt niet meer goed komt ...
... dan is dat zijn schuld.
Als ze haar hele leven met een lelijk gezicht moet
rondlopen ...
... dan heeft hij dat gedaan.

'Het spijt me zo', zegt Yung.
'Ik wou dat het mijn gezicht was geweest.

Ik zou het zo van je over willen nemen.
Had jij mij maar op mijn neus geslagen.'
Yung ziet dat Marijes mond glimlacht.
'Jij bent ook op je gezicht geslagen', zegt ze.
'Dus je weet wel hoeveel pijn het doet.'
'Maar mijn neus is niet gebroken', zegt Yung.
'Nee', zegt Marije.
Ze denkt even na.
'Misschien heb jij een sterkere neus', zegt ze dan.

'Je stem klinkt ook anders', zegt Yung.
'Ja, dat komt ook door die dikke neus', zegt
Marije.
'Maar dat zal ook wel weer goed komen.
Hoop ik', voegt ze eraan toe.

Yung gaat op zijn knieën voor Marije zitten.
'Hoe kan ik het goed maken?', vraagt hij.
Hij legt zijn handen op de hare.
Maar Marije trekt haar handen weg.
'Je kunt het niet goed maken', zegt ze.
'Zoiets is niet goed te maken.'

De moeite waard

'Ze heeft niet tegen me geschreeuwd of zo',
zegt Yung.
Hij is weer op het politiebureau, in kamer 13.
Hij moet vertellen hoe zijn bezoek aan Marije
was.
'Maar ze is nog wel boos op me', gaat Yung
verder.
'Ze is bang dat haar neus niet meer goed zal
komen.
En ik ben daar ook bang voor', zucht hij.
Weer voelt hij tranen achter zijn ogen branden.
Yung wacht even. Hij zoekt naar de goede
woorden.
'Ze was zo'n prachtig meisje', zegt hij.
'En misschien zal ze dat nooit meer zijn.
Door mijn stomme schuld.
Dan heb ik haar echt verminkt, voor haar hele
leven.'

De andere jongens zeggen niets.
Ze hebben allemaal medelijden met Yung.
'Ben je nog verliefd op haar?', vraagt de agent.

Yung kijkt hem verbaasd aan.
'Ja, natuurlijk', zegt hij.
'Maar zij wil mij niet meer. Logisch.'
'Je moet haar vertellen dat je nog steeds verliefd
op haar bent', vindt de agent.
Ze moet weten dat een dikke neus niet uitmaakt.
Voor iemand die van haar houdt, bedoel ik.'

'Maar ze zal me echt niet terug willen', zegt Yung.
'Dat hoeft ook niet', zegt de agent.
'Maar je moet nu even bedenken wat Marije
voelt.
Zij is bang dat ze er straks lelijk uit zal zien.
Zij is bang dat geen jongen haar nog leuk zal
vinden.
Daarom moet jij haar het gevoel geven dat ze nog
steeds geweldig is.
Ook al zal er misschien nooit meer iets tussen
jullie zijn.'

De andere jongens knikken; dat is een goed
advies.
Buiten haalt Yung het speelgoedpoesje uit zijn
zak.

Het poesje met het dasje om.
Het heeft een klein wit kaartje aan een oor
hangen.
Marije, mag ik mee in je rode mandje?, staat erop.
En daaronder: *love U 4 ever. Y.*

Een half uur later zit het poesje voor een deur
van een flat.
Een deur zonder naamplaatje ...

Emoticons

Bijna alle jongeren sms'en. Of chatten via msn. Ze doen dat vaak in sms-taal. Bij sms-taal gebruik je veel emoticons. Je typt dan geen woorden om iets te zeggen, maar tekentjes. Dit zijn een paar voorbeelden.

:-)	Blij
:-(	Ongelukkig
:-P	Tong uitsteken
;-)	Knipoog
:-||	Boos
(:-*	Kus
<|:-)	Jarig
((naam)):**	Knuffel van (naam)
ff	Effen, even
xie je	Ik zie je
w88	Wachten
xta	Ik sta

Meer weten over emoticons? Kijk dan eens op:
- www.smstaal.nl
- www.emoticons.nl
- www.emoticons.pagina.nl

OVER DE AUTEUR

Marian Hoefnagel (1950) is taalkundige en lerares Nederlands. Ze geeft les op een school voor dove en slechthorende jongeren in Amsterdam. Ook is ze een van de initiatiefnemers van Stichting Makkelijk Lezen. Marian Hoefnagel schrijft over alledaagse en minder alledaagse tienerproblemen.

De Reality Reeks

Met alle geweld is deel 6 in de *Reality Reeks* van Uitgeverij Eenvoudig Communiceren. In deze reeks zijn ook verkrijgbaar:

- *Chatten*
- *Mooi Meisje*
- *Hey Russel!*
- *Blauwe Maandag*
- *16 & Zwanger*
- *De nieuwe buurt*
- *Een gevaarlijke vriend*
- *Topmodel*

OOK VERKRIJGBAAR: DE SCHADUW-REEKS

De *Schaduw-reeks* is een serie spannende verhalen voor jongeren. De boeken gaan over de schaduwzijde van het alledaagse leven. Over jongeren die terechtkomen in onmogelijke situaties. Zetten ze door of haken ze af?

Catherine Johnson **Messcherp**
Angelo steelt en heeft met iedereen ruzie. Dan ontmoet hij de mooie Savanna. Voor haar wil Angelo veranderen. Hij wil niet meer stelen en vechten. Maar lukt dat hem wel?

60 pagina's
ISBN 978-90-8696-053-8

John Townsend **Bloedrode Maan**
Nick heeft een bijbaantje als boswachter. In het bos gebeuren rare dingen. Dieren raken gewond en overal hangt een vieze geur. En dan krijgt Nick ook nog een vreemde boodschap ...

62 pagina's
ISBN 978-90-8696-054-5

Philip Preece **Spookhuis**
Sam is niet gelukkig met zichzelf. Als hij op de kermis de kans krijgt zijn imago te verbeteren in ruil voor een paar minuten van zijn leven, denkt hij de deal van zijn leven te sluiten ...

60 pagina's
ISBN 978-90-8696-026-2

www.eenvoudigcommuniceren.nl
www.lezenvooriedereen.be